Книга шуток, по-английски и по-русски 1

English Russian Joke Book 1

Jeremy Taylor

Copyright © 2020 Jeremy Taylor

Cartoons by Ilja Bereznickas

Language Learning Joke Books

ISBN: 9798668546657

All rights reserved.

Как использовать эту книгу

1. **If your English is good.**

Roll around laughing at the hilarious English jokes.

2. **Если ваш английский очень плохой**

Используйте словарь в нижней части страницы, и тогда вы будете радоваться на месте над веселыми английскими шутками.

3. **Если у вас ужасный английский**

Прочтите русский перевод на следующей странице, а потом радуйтесь на месте, смеясь над веселыми шутками (делая вид, что вы их понимаете на английском).

Вы говорите немного по-английски? Вы учили английский в школе находясь в англоговорящей стране, который используете плохо? Не будет ли хорошо улучшить свой английский? Многие эксперты говорят, что чтение – это один из лучших способов улучшить навыки владения языком, и не только ваше чтение. Ваша речь, умение слышать и писать могут улучшиться, если вы читаете. Некоторые люди пытаются прочитать роман на английском языке и быстро пугаются длинной структуры составного предложения и лексикона, который они даже не знают на русском языке. Если только было нечто легко читаемое. Что-то, что было бы приятно. Что-то для чтения, не нуждаясь в словаре каждые 15 секунд. Добро пожаловать в англо-русский сборник анекдотов - коллекция 100 шуток на простом английском языке. Есть также перевод, данный после шутки, хотя Вы должны попытаться понять любые другие неизвестные слова от контекста.

Приятного чтения и, надеюсь, вы получите большое удовольствия обучаясь английскому языку с этой книгой, чем вы когда-либо делали в школе.

JT 2020

1.

Teacher: Where does God live?

Little boy: I think he lives in our bathroom.

Teacher: Why do you say that?

Little boy: Well, every morning my daddy bangs on the door and says, 'God, are you still in there?'

to bang - бить, колотить

1.

Учитель:

- Где живет Бог?

Малыш:

- Я думаю, он живет в нашей ванной.

Учитель:

- Почему ты так говоришь?

Малыш:

- Потому что каждое утро мой папа колотит в дверь и говорит: «Господи, ты ещё здесь?!»

2.

Boy : Excuse me teacher, would you punish someone for something they haven't done?

Teacher : Of course not.

Boy : Good, I haven't done my homework.

to punish someone - наказать кого-то

2.

Мальчик: Простите учитель, вы накажете кого-то за то, чего они не сделали?

Учитель: Конечно, нет.

Мальчик: Хорошо, я не сделал домашнее задание.

3.

“Mummy, can I wear a bra now that I'm sixteen?”

“No, David.”

a bra – бюстгальтер

3.

“Мама, я могу носить бюстгальтер теперь, когда мне шестнадцать лет?”

“Нет, Дэвид”.

4.

“Mummy, I don't like this meat. Can I give it to the dog?”

“No, dear, that is the dog.”

4.

- Мамочка, мне не нравится это мясо. Могу я отдать его собаке?

- Нет, дорогой, это и есть собака.

5.

“I've lost my dog!”

“You should put an advertisement in the newspaper.”

“That's crazy! He can't read.”

advertisement – объявление, реклама

5.

«Я потерял свою собаку!»

«Разместите объявление в газете».

«Вы с ума сошли? Моя собака не умеет читать!»

6.

I don't care what your name is. Don't walk on the water while I'm fishing!

I don't care – меня не волнует, мне все равно

while – в то время, как

6.

Мне все равно как тебя зовут. Не ходи по воде, пока я рыбачу!

7.

Did you hear about the mouse that saw a bat and ran home to tell its mother that it had seen an angel?

bat - летучая мышь

7.

Вы слышали историю про то, как маленькая мышка, увидев летучую мышь, бросилась домой, чтобы рассказать своей маме, что она видела ангела?

8.

“Doctor, doctor, I can't feel my legs!”

“I'm not surprised, we amputated your arms.”

to amputate - ампутировать

8.

- Доктор, доктор, я не чувствую своих ног!

- Это неудивительно, я их ампутировал.

9.

A man of eighty visited his doctor. “I'm going to be married next week, doctor.”

“Very good,” said the doctor. “How old is your lady friend?”

“Eighteen,” replied the man.

“My goodness!” said the doctor. “I should warn you that any activity in bed could be fatal.”

“Well,” said the man. “If she dies, she dies.”

fatal – смертельный, роковой

to get married – жениться / выйти замуж

to warn - предупреждать

9.

Восьмидесятилетний мужчина пришел на прием к своему врачу.

- Я собираюсь жениться на следующей неделе, доктор.

- Очень хорошо,- сказал доктор. – Сколько же лет Вашей невесте?

- Восемнадцать - ответил мужчина.

- Господи!- воскликнул доктор.- Я должен Вас предупредить, что любая активность в постели может стать смертельной.

- Ну что же, - сказал мужчина, - если она умрет, значит, она умрет.

10.

“Hello doctor, was my operation a success?”

“Sorry, mate. My name's Saint Peter.”

mate – приятель

success – успех

Saint Peter – апостол Петр, один из двенадцати апостолов Иисуса Христа

10.

- Здравствуйте доктор. Моя операция была успешной?

- Прости, приятель. Меня зовут Святой Петр.

11.

"Doctor, doctor, everyone says I tell lies!"

"I don't believe you."

to tell lies – лгать, говорить неправду

to believe - верить

11.

- Доктор, доктор, все говорят, что я лгу!!!

- Я Вам не верю!

12.

A primary school teacher was sitting on a bus. She was fairly sure that she recognised the man opposite her. “Excuse me,” she said, “but are you the father of one of my children?”

to recognise – распознавать, узнавать

fairly – почти, буквально

12.

Учительница начальной школы ехала в автобусе. Она была почти уверена, что узнала человека напротив.

- Простите,- сказала она, - но Вы случайно не отец одного из моих детей?

13.

“Doctor, doctor, I keep losing my memory!”

“Mmmm, when did this start?”

“When did what start?”

memory - память

13.

«Доктор, доктор, я теряю память!»

«Хмм, когда это началось?»

«Когда началось что?»

14.

Doctors have many enemies in this world, but a lot more in the next.

enemy - враг

14.

У врачей очень много врагов в этой жизни,
но ещё больше - в следующей.

15.

Did you hear about the glow-worm that died trying to make love to a lighted cigar?

a glow-worm – светлячок

15.

Слышали ли вы о светлячке, который погиб, пытаясь заняться любовью с зажженной сигарой?

16.

What time is it when six elephants sit on your fence?

It's time to buy a new one.

a fence – забор

to buy - купить

16.

Сколько времени будет, когда шесть слонов сядут на ваш забор?

Придет время покупать новый.

17.

How do hedgehogs hug each other?

Very carefully.

hedgehog - ёж

to hug - обнимать

17.

Как обнимают друг друга ежики?

Очень аккуратно.

18.

“Tell me, doctor, how long will I live?”

“It's difficult to say, but if I were you I wouldn't start watching any TV serials.”

18.

«Скажите, доктор, сколько мне осталось жить?»

«Трудно сказать, но если бы я был на Вашем месте, я бы не стал начинать смотреть какой-либо сериал».

19.

Girl: You kiss just like a film star.

Boy: Really?

Girl: Yes, Lassie.

(Лесси это собака, которая появилась во многих американских фильмах.)

19.

Девушка: Ты целуешься как кинозвезда.

Молодой человек: Правда?

Девушка: Да, Лесси.

20.

I don't wear furs because I don't like the idea of second hand clothes.

fur - мех

20.

Я не ношу меха, потому что мне неприятно носить вещи, бывшие в употреблении.

21.

A man had been in prison for twenty years. When he left they gave him his old clothes. In the pocket he found a ticket from a shoe repair shop. Perhaps the shop is still there. Perhaps they still have my old shoes, he thought to himself. So off he went and sure enough it was there. “I've been on holiday for a long time, I wonder if you have my shoes?” asked the man.

The old man went into the back of the shop and came back after two minutes. “They'll be ready on Thursday.”

pocket - карман

shoe repairer – обувной мастер

prison - тюрьма

21.

Мужчина пробыл в тюрьме двадцать лет. Когда он выходил на свободу, ему отдали его старую одежду. В кармане пиджака он обнаружил квитанцию на получение обуви из ремонта. «Возможно, что мастерская ещё существует, и у них ещё хранится моя обувь» - подумал мужчина и пошёл на то место, где раньше была мастерская. И она там действительно была. «Видите ли, я долго находился в отпуске, и хотел бы узнать, не остались ли у вас мои ботинки?» – спросил мужчина.

Пожилой мастер ушёл в подсобное помещение и вышел оттуда через две минуты. «Будут готовы в четверг» – сказал он.

22.

What do you give a man who has everything?

Answer: Penicillin.

penicillin – пенициллин, лекарство класса антибиотики

22.

Что вы дадите человеку, у которого есть все?

Ответ: лекарство.

23.

Boy: Do you love me?

Girl:Of course I love you.

Boy: How long will you love me for?

Girl: I will love you forever.

Boy: How long is forever?

Girl: About a week.

forever - навсегда

23.

Мальчик: Ты меня любишь?

Девочка: Конечно, я тебя люблю.

Мальчик: Как долго ты будешь любить меня?

Девочка: Я буду любить тебя всегда.

Мальчик: А как долго это «всегда»?

Девочка: Ну, где-то неделю.

24.

Did you hear about the headmaster that worked in a match factory? “This one works... This one works... This one works...”

match - спичка

factory – фабрика

(В этой книге "директор школы" всегда глупый человек.)

24.

Вы слышали о директоре школы, который работал на спичечной фабрике?

«Эта горит... эта горит... эта горит...»

25.

Did you hear about the headmaster who tried to iron his curtains?

He fell out of the window.

to iron – гладить, утюжить

curtains – занавески, шторы

25.

Вы слышали историю о директоре школы, который попытался погладить шторы?

Он выпал из окна.

26.

“What is a cow after it is five years old?”

“I don't know.”

“Six years old.”

26.

«Что происходит с коровой после того, как ей исполнится пять лет?»

«Не знаю».

«Ей исполняется шесть».

27.

“How do you get four elephants into a mini?”

“I don't know.”

“Two in the front and two in the back.”

mini – малолитражка (автомобиль)

27.

«Как бы вы разместили четырёх слонов в малолитражке?»

«Понятия не имею».

«Два спереди и два сзади».

28.

“How do you get four giraffes into a mini?”

“Two in the front and two in the back?”

“No, you can't. It's already full of elephants.”

28.

«Как вы разместите четырёх жирафов в малолитражке?»

«Два спереди и два сзади?»

«Нет, не получится! Потому что машина уже занята слонами».

29.

Cannibal: Mummy, I don't like my little sister.

Mother cannibal: Well, leave her on the side of your plate.

29.

Людоед: Мамочка, мне не нравится моя сестренка.

Мать людоед: Ну, так оставь ее на стороне твоей тарелке.

30.

“Will television ever replace newspapers?”

“Probably.”

“No, it won't. Have you ever tried to kill flies with a television?”

to replace – заменять

fly - муха

30.

«Заменит ли когда-нибудь телевизор газеты?»

«Вполне вероятно».

«Нет, никогда. Вы когда-либо пытались убить муху телевизором?»

31.

A gorilla went into a pub and said to the barman, “I'd like a pint of beer, please.”

“Certainly, sir, that'll be ten pounds, please.”

The gorilla paid his money and started to drink his beer.

“We don't get many gorillas in here,” said the barman.

“I'm not surprised,” said the gorilla, “if you charge ten pounds a pint.”

I'm not surprised – Я не удивлен

beer - пиво

pint – кружка пива

31.

Горилла входит в бар и говорит бармену: «Бокал пива, пожалуйста».

«Конечно, сэр. С вас 10 фунтов».

Горилла оплачивает и принимается за своё пиво.

«Вы знаете, к нам не так уж часто заглядывают гориллы» - замечает бармен.

«И это не удивительно» - отвечает горилла, «если у вас кружка пива стоит 10 фунтов».

32.

“What's the difference between a strawberry and an elephant?”

“One is red and one is grey.”

difference – разница, различие

32.

«Какая разница между клубникой и слоном?»

«Клубника – красная, а слон – серый».

33.

What did the headmaster say when he saw a herd of elephants coming over the hill?

"Here come a herd of strawberries!"

He was colour blind.

herd – стадо, стая

headmaster – директор (школы)

colour-blind - дальтоник

33.

Что сказал директор школы, когда увидел приближающееся стадо слонов?

«А вон идёт стадо клубники!»

Он был дальтоником.

34.

Posh lady: (To servant) James, take off my coat.

James : Yes m'lady.

Posh lady: James, take off my shoes.

James : Yes m'lady.

Posh lady: James, take off my dress.

James : Yes m'lady.

Posh lady: James, take off my bra.

James : Yes m'lady.

Posh lady: James, take off my underwear.

James : Yes m'lady.

Posh lady: And James...

James : Yes m'lady?

Posh lady: Don't wear my clothes again.

posh – шикарный, превосходный

underwear – нижнее белье, здесь: трусики

34.

Аристократка (прислуге): Джеймс, снимите моё пальто.

Джеймс: Да, мэм.

Аристократка: Джеймс, снимите мои туфли.

Джеймс: Да, мэм.

Аристократка: Джеймс, смимите моё платье.

Джеймс: Да, мэм.

Аристократка: Джеймс, снимите мой бюстгалтер.

Джеймс: Да, мэм.

Аристократка: Джеймс, снимите мои трусики.

Джеймс: Да, мэм.

Аристократка: И ещё, Джеймс...

Джеймс: Да, мэм?

Аристократка: Больше никогда не надевайте мою одежду.

35.

What do you call a headmaster under a wheelbarrow?

A mechanic.

wheelbarrow - тачка

35.

Как бы вы назвали директора школы, лежащего под тачкой?

Механиком.

36.

Did you hear about the headmaster who burnt his ear?

He was ironing his clothes when the telephone rang.

burn – обжигать, обжечь(ся)

36.

Вы знаете, как директор школы обжёг своё ухо?

Он гладил свой костюм, когда вдруг зазвонил телефон.

37.

Life is a sexually transmitted disease.

disease – болезнь

to transmit - передавать

37.

Жизнь – это болезнь, передающаяся половым путём.

38.

“Mummy, why do all fairy tales begin with, 'Once upon a time'?”

“They don't. The ones your father tells always begin with, 'I had to work late at the office'...”

fairy tale - сказка

38.

«Мама, а почему все сказки начинаются с “Однажды, давным-давно”?»

«Вовсе не все. Те сказки, которые рассказывает твой папа, обычно начинаются с “Мне пришлось задержаться на работе”...»

39.

A doctor went into a restaurant and noticed that the waitress kept scratching her hands. “Have you got eczema?” asked the doctor.

“If it's not on the menu, we haven't got it,” replied the waitress.

waitress - официантка

to scratch - чесаться

eczema – экзема

39.

Врач зашёл в ресторан и заметил, что одна из официанток всё время чешет свои руки.

«Экзема?» - спросил врач.

«Если нет в меню, значит, у нас в ресторане это не подают» - ответила официантка.

40.

“Waiter, do you have frogs' legs?”

“Yes, sir.”

“Well jump over there and get me a bottle of wine.”

a frog – лягушка

to jump - прыгать

40.

«Официант, у вас есть лягушачьи лапки?»

«Да, сэр.»

«Тогда упрыгайте туда нам за бутылкой вина.»

41.

Never do today what you can put off until tomorrow.

to put off – откладывать на более поздний срок

41.

Никогда не делайте сегодня то, что вы можете отложить до завт

42.

On a train from London to Birmingham there were two people, a man and a woman. After a few minutes the man said, “Excuse me, madam, would you kiss me for one pound?”

"No I wouldn't!" replied the woman.

A few minutes later the man asked, “Would you kiss me for ten thousand pounds?”

The woman thought for a while and then said, “Yes, I think I would.”

A few minutes later the man asked, Would you kiss me for two pounds?”

“Certainly not! “ she replied. “What sort of woman do you think I am?”

“I know that already,” said the man. “I'm only trying to fix the price.”

Would you kiss me? - Вы бы меня поцеловали?

certainly – однозначно, конечно

to fix – определить, установить

42.

Два человека, мужчина и женщина, ехали на поезде из Лондона в Бирмингем. Спустя несколько минут мужчина спросил:

-Простите, мадам, Вы могли бы поцеловать меня за десять тысяч фунтов?

Подумав немного, женщина сказала:

- Да, думаю, я могла бы.

Несколькими минутами позже мужчина спросил:

- А поцеловали бы Вы меня за 50 фунтов?

- Конечно, нет!- ответила она, - За кого Вы меня принимаете?!

- Я уже определил, кто вы, – сказал мужчина,- Я просто пытаюсь установить цену.

43.

A man was driving his car along the road in the countryside when suddenly a cockerel ran in front of his car. Unfortunately he couldn't stop in time and he ran over the cockerel. The man stopped his car and walked to the farmhouse nearby.

"I'm terribly sorry," said the man. "But I've just killed your cockerel. I realise he must be very important to you so I'd like to replace him."

"Thanks for your offer," said the farmer. "But I think I ought to get another cockerel."

countryside – сельская местность, загород

a cockerel - петушок

to run over – сбить, переехать, задавить

43.

Мужчина ехал на машине по сельской местности. Вдруг прямо перед его машиной выскочил петушок. У мужчины уже не было времени притормозить, и он, к сожалению, сбил петушка на смерть. Мужчина вышел из машины и направился на близлежащую ферму.

«Я очень сожалею» - обратился мужчина к хозяину фермы, «но я только что сбил вашего петушка. Я понимаю, что он представлял для вас большую ценность, и я готов заменить его».

«Спасибо за ваше предложение» - ответил фермер. «Но я думаю, что обойдусь просто новым петушком».

44.

A Native American was walking through the desert when he saw his friend lying on the ground, his ear to the ground.

His friend: A big stage coach passed here two hours ago.

Native American: You are amazing! You lie on the ground with your ear to the ground and you know that a big stage coach passed here two hours ago. Tell me, how do you know?

His friend: It ran over my head.

desert – пустыня

stage coach – дилижанс

amazing - удивительный

44.

Однажды коренной американец шёл по пустыне. Вдруг он увидел лежащего, плотно приложив ухо к земле, приятеля.

Его приятель: Большой груженый дилижанс проехал здесь два часа назад.

Американец: Ну, ты даёшь! Ты тут лежишь, приложил ухо к земле, и утверждаешь, что дилижанс проехал здесь два часа тому назад? Расскажи-ка мне, как ты это узнал?

Его приятель: Он проехался по моей голове.

45.

“Which hand do you clean your bum with, your left hand or your right hand?”

“My left hand.”

“I use toilet paper.”

a bum – зад

45.

"Какой рукой вы чистите свой зад, левой рукой или правой рукой?"

"Левой."

"Я использую туалетную бумагу."

46.

Teacher: What can you tell me about the great musicians of the Eighteenth Century?

Graham: They're all dead, sir.

46.

Учитель: Что вы можете рассказать о великих музыкантах восемнадцатого века?

Грехэм: Они все умерли, сэр.

47.

“Doctor, doctor, people keep ignoring me!”

“Next, please.”

to ignore - игнорировать

47.

«Доктор, доктор, меня все игнорируют!»

«Следующий».

48.

“Waiter, I must say how clean your restaurant is.”

“Thank you, sir.”

“Yes, even this soup tastes of disinfectant.”

disinfectant – дезинфицирующее средство

48.

«Официант, я должен вам сказать, что у вас очень чистый ресторан».

«Спасибо, сэр».

«Да, настолько чистый, что даже суп по вкусу отдает дезинфицирующим средством».

49.

A policeman saw a headmaster walking along the road with a penguin.

“Where did you get that penguin?” asked the policeman.

“I found him,” said the headmaster.

“Take him to the zoo immediately!” said the policeman.

“Okay,” replied the headmaster.

The next day the policeman saw the same headmaster with the penguin. “I told you to take that penguin to the zoo yesterday,” said the policeman.

“I did,” said the headmaster. “He liked it and I'm taking him to the cinema today.”

49.

Полицейский как-то увидел директора местной школы, прогуливающегося по дороге с пингвином.

«Гды вы взяли этого пингвина?» - спросил полицейский.

«Я его нашёл» - ответил директор.

«Немедленно отведите его в зоопарк!» - приказал полицейский.

«Хорошо» - согласился директор.

На следующий день полицейский опять увидел директора, прогуливающегося с пингвином.

«Я вам вчера сказал отвести пингвина в зоопарк» - возмутился полицейский.

«Я так и сделал» - ответил директор. «И ему там очень понравилось, а сегодня мы с ним идём в кино».

50.

I used to be conceited, but now I'm perfect.

conceited - самодовольный

50.

Раньше я был слишком самодовольным, а сейчас я – само совершенство.

51.

Teacher: Excuse me, headmaster, are you good at mathematics?

Headmaster: I think so.

Teacher: Can you add these up? One kilo of margarine, two kilos of old newspaper, and four and a half kilos of sawdust. Okay, have you got all that in your head?

Headmaster: Yes! Yes!

Teacher: I thought so.

margarine - маргарин

sawdust - опилки

51.

Учитель (директору школы): Скажите, пожалуйста, вы хорошо считаете?

Директор: Думаю, что да.

Учитель: Тогда сможете ли вы сложить следующее? Один килограмм маргарина, два килограмма старых газет и четыре с половиной килограмма опилок. Итак, Вы держите всё это в голове?

Директор: Да! Да!

Учитель: Я так и думал.

52.

Optician: You need glasses.

Man : How do you know?

Optician: I knew as soon as you walked in through the window.

optician – окулист, оптик

52.

Окулист: Вам нужны очки.

Мужчина: Как Вы это определили?

Окулист: Я это понял, как только Вы зашли сюда через окно.

53.

The British Ambassador in America was asked by the local radio station what he would like for Christmas. He thought to himself, I mustn't ask for anything too expensive, something simple would be better, so he said that he wanted a pair of slippers and some shaving cream.

When the radio station mentioned his wishes along with those of the French and Japanese Ambassadors, it went as follows.

"The French Ambassador would like peace and love in the world. The Japanese Ambassador would like an end to all wars. The British Ambassador would like a pair of slippers and some shaving cream."

slippers - тапочки

shaving cream – крем для бритья

ambassador - посол

53.

Британского посла в Америке спросили, чтобы он хотел на Рождество. Посол подумал, что будет неприлично просить что-то дорогое, и что ему следует попросить что-нибудь поскроменее. Поэтому он сказал, что на Рождество он хотел бы пару тапочек и крем для бритья.

Но когда по радио упомянули его пожелания наряду с пожеланиями послов Франции и Японии, всё это прозвучало следующим образом:

«Французский посол хотел бы мира и любви во всём мире. Посол Японии пожелал, чтобы прекратились все войны. А Британский посол хотел бы пару тапочек и крем для бритья».

54.

“Doctor, doctor, I keep thinking I’m invisible!”

“Who said that?”

invisible - невидимый

54.

«Доктор, доктор, мне кажется, что я невидимка!»

«Простите, кто это сказал?»

55.

A little girl was going to Hannah’s birthday party so her mother said, “Don’t forget to thank Hannah.”

When the little girl came home, her mother asked her if she had said thank you to Hannah.

“No, I didn’t,” replied the little girl.

“Why not?” asked her mother.

“Well, the little girl in front of me said thank you and Hannah said, ‘Don’t mention it’, so I didn’t.”

55.

Маленькая девочка собиралась на вечеринку по случаю дня рождения Ханны поэтому ее мать сказала, "Не забудьте поблагодарить Ханну."

Когда девочка пришла домой, мать спросила ее, если она сказала спасибо Ханне.

"Нет, я не сказала," ответила девочка.

"Почему нет?" Спросила мать.

"Ну, девочка передо мной сказала спасибо и Ханна сказала: "Да не говори уже", так что я не сказала.

56.

Notice in Hospital: If you think the nurses are bad you should see the doctors.

nurse - медсестра

56.

Объявление в больнице: Если вы считаете, что у нас плохие медсестры, вам следует познакомиться с нашими врачами.

57.

Woman: (In police station) Oh please, you must help me, I've lost my husband!

Policeman: Can you give us a description of your husband, madam?

Woman: Well, he's one metre forty three tall, he weighs 95 Kg, he has got a big belly, little hair, false teeth...oh forget it.

belly – живот

false – искусственный, фальшивый

57.

Женщина (в полицейском участке): Пожалуйста, помогите мне, я потеряла своего мужа!

Полицейский: Не могли бы Вы его описать?

Женщина: О да, рост – один метр сорок сантиметров, вес 95 килограммов, у него большой живот, редкие волосы, вставные зубы... э, знаете, давайте забудем о моём обращении.

58.

Headmaster: Do lemons have wings?

Headmaster's wife: No.

Headmaster: Oh dear, I've just squeezed the canary over my pancake.

to squeeze – выжимать, выдавливать

canary - канарейка

58.

Директор школы: Разве у лимонов есть крылья?

Жена школьного директора: Нет.

Директор школы: О боже, значит, я только что выдавил канарейку на свой блин.

59.

Headmaster: (While driving) Does anyone in this village have a dog with a white collar?

Headmaster's wife: No.

Headmaster: Oh dear. I've just run over the vicar.

collar – воротник, ошейник

vicar - священник

59.

Директор школы (за рулём): У кого-нибудь из нашего посёлка есть собака с белым ошейником?

Жена директора школы: Нет.

Директор школы: О, господи, я только что сбил священника.

60.

Why does Prince Charles wear a red, white and blue belt made of English leather?

To keep his trousers up.

a belt – пояс, ремень

leather - кожа

60.

Почему принц Чарльз носит красно-бело-синий пояс из английской кожи?

Чтобы поддержать свои штаны.

61.

Father to son, “I’ve told you a million times, don’t exaggerate!”

exaggerate - преувеличивать

61.

Отец сыну, «Я сотни тысяч раз говорил тебе, не преувеличивай!»

62.

Young man: (On bus) Half fare, please.

Bus driver: How old are you?

Young man: Fifteen.

Bus driver: Do you have any form of identification?

Young man: I've got my driving licence...

half fare – в полцены

identification – удостоверяющий личность документ

62.

Молодой человек (в автобусе): Детский билет, пожалуйста.

Водитель: Сколько тебе лет?

Молодой человек: Пятнадцать.

Водитель: У тебя есть какое-нибудь удостоверение личности?

Молодой человек: Да, водительские права...

63.

Headmaster: I've stopped gambling.

Friend: I don't believe you.

Headmaster: I bet you five pounds that I have.

to gamble - играть в азартные игры

63.

Директор школы: Я завязал с азартными играми.

Друг: Да, ладно! Я тебе не верю.

Директор школы: Спорим на пять фунтов, что я завязал?

64.

Gardener: I always put a lot of horse manure on my rhubarb.

Friend: I prefer custard.

manure – навоз

rhubarb – ревень (растение)

custard – соус из яиц и молока

64.

Садовник: Я всегда обильно покрываю свой ревень навозом.

Друг: Да? А я предпочитаю ревень с соусом.

65.

A headmaster went into a pet shop.

Headmaster: I'd like a parrot, please.

Assistant: Certainly, sir, this one is very beautiful and he sings like Elvis Presley.

Headmaster: Yes, but how long does he take to cook?

a parrot - попугай

to cook - готовить

65.

Директор школы заходит в зоомагазин.

Директор: Мне нужен попугай.

Продавщица: Пожалуйста! Я порекомендую Вам взять вот этого попугая. Он очень красивый и поёт как Элвис Пресли!

Директор: Спасибо, но как долго его готовить?

66.

“What’s white and can’t climb trees?”

“I don't know.”

“A refrigerator.”

refrigerator - холодильник

66.

«Белое, но не лазает по деревьям?»

«Холодильник».

67.

Sign on dust cart - Satisfaction guaranteed or your rubbish back!

dust cart – мусоровоз

satisfaction – удовлетворение

guaranteed – гарантированно

67.

Надпись на мусоровозе: Вы будете довольны нашей уборкой или мы вернём ваш мусор!

68.

Man: (At airport) We should have brought the piano.

Woman: Why?

Man: The tickets are on it.

brought (bring) – приносить, привозить

68.

Мужчина (в аэропорту): Нам следовало взять с собой пианино.

Женщина: Зачем?

Мужчина: На нём лежат наши билеты.

69.

When God made man, SHE was only having a joke.

69.

Когда Вселенной был создан мужчина, ОНА просто решила пошутить.

70.

“Why are elephants big, grey and wrinkled?”

“I don't know.”

“If they were small, smooth and white, they would be aspirins.”

wrinkled – сморщенный, в складках

smooth - гладкий

70.

«Почему слоны большие, серые и в складках?»

«Не знаю».

«Потому что, если бы они были маленькие, гладкие и белые, то они были бы таблетками аспирина».

71.

“Waiter, waiter, what’s this fly doing on my ice cream?”

“Learning to ski sir?”

71.

«Официант, официант, что эта муха делает на моём мороженом?»

«Учится кататься на лыжах, сэр?»

72.

Man in garage: I'd like half a pint of petrol and a spoonful of oil.

Garage man: Certainly, sir, shall I sneeze in your tyres as well?

half a pint - 0.28 л

to sneeze – чихать

tyre - покрышка

72.

Мужчина в автосервисе: Мне, пожалуйста, стакан бензина и столовую ложку масла.

Механик: Не вопрос, может быть, вам ещё слегка почихать в шины?

73.

A headmaster went into a cinema and bought a ticket. Five minutes later he went back to the ticket seller.

“Excuse me, can I have another ticket, please?”

“But I’ve just sold you one!”

“Yes, I know, but that stupid girl over there has just ripped it in half.”

rip in half – разорвать пополам

73.

Директор школы пошел в кино, купил билет, но через пять минут возвращается к кассе.

«Будьте добры, дайте мне другой билет».

«Но Вы же только что купили один билет!»

«Да, но вон та глупая дама на входе разорвала его пополам».

74.

I like to do my homework

It makes me feel so good.

In school, I do always as my teachers think I should.

I really like headmasters.

I listen to what they say.

I even like the men in white that are taking me away.

74.

Я люблю делать мое домашнее задание

Это заставляет меня чувствовать так хорошо.

В школе, я всегда делаю так, как мои учителя думают.

Мне очень нравится директор школы.

Я слушаю то, что они говорят.

Мне даже нравятся люди в белом, которые уносят меня.

75.

“What do you call a gorilla with a machine gun?”

“Sir!”

machine gun – автомат, пулемет

75.

«Как Вы называете гориллу с автоматом?»

«Командир!»

76.

“Doctor, doctor, I’ve just swallowed a sheep!”

“How do you feel?”

“Baaaad.”

to swallow - глотать

76.

«Доктор, доктор, я только что проглатил овцу».

«Как вы себя чувствуете?»

«Плохо мнеееее».

77.

What do you get if you cross a horse with a cat?

Biological history.

to cross - скрещивать

77.

Что произойдёт, если вы скрестите лошадь с котом?

Биологическая история.

78.

“What has got six legs and eats grass?”

“I don’t know.”

“A dog.”

“A dog hasn’t got six legs.”

“It doesn’t eat grass either, but the question would have been too easy if I hadn’t lied.”

either – также, тоже

lie – лгать, врать

78.

«Шесть ног и ест траву. Кто это?»

«Не знаю».

«Это собака».

«Но у собаки нет шести ног!»

«Ну, так и траву она тоже не ест! Но если бы я не приврал, вопрос был бы слишком простым».

79.

“What have a goldfish and a cat got in common?”

“I don't know.”

“Neither can drive a bus.”

in common – нечто общее

neither – ни один ни другой, никто

79.

«Что общего у золотой рыбки и кошки?»

«Не знаю».

«Они не умеют водить автобус».

80.

Headmaster: I’d like a return ticket, please.

Ticket man: Where to?

Headmaster: Back here, stupid!

80.

Директор школы: Мне нужен билет туда и обратно.

Кассир: Куда?

Директор: Обратно сюда, дурак!

81.

Two men were walking along the road when one stopped. “My goodness! There’s my wife and my lover talking to each other!”

“Good grief!” said the other. “I was going to say that!”

a lover – любовник, любовница

grief – горе, печаль

81.

Двое мужчин, прогуливаясь, шли по дороге. Вдруг один резко остановился. “О, боже, вон там стоят моя жена и любовница и разговаривают друг с другом!”

«Какое несчастье!» - ответил другой, «Я только что собирался сказать то же самое!».

82.

“If you throw a white sheep into the Black Sea, what does it become?”

“I don't know.”

“Wet.”

82.

«Что произойдёт, если вы бросите белую овцу в Чёрное море?»

«Овца промокнет».

83.

Husband: What happens to all the housekeeping money that I give you?

Wife: Turn sideways, look in the mirror and you'll know.

housekeeping money – деньги на хозяйственные расходы

83.

Муж: Куда деваются деньги, которые я тебе даю на хозяйственные расходы?

Жена: Повернись, посмотри в зеркало, и ты увидишь.

84.

A man was having problems with his car. 'Luckily' he saw a headmaster. "Excuse me," said the man. "I'm having problems with my indicators. Can you tell me if they are working?"

"No problem!" said the headmaster and he went to the back of the car. "Yes they are! No they're not! Yes, no, yes...."

indicators – поворотники (авто.)

84.

У мужчины сломалась машина. «К счастью» он увидев проходящего мимо директора местной школы. «Простите» - сказал мужчина. «Мне кажется, что у меня возникли неполадки с поворотниками. Не могли бы Вы посмотреть работают ли они?»

«Конечно!» - ответил директор и встал позади машины. «Да работают! Ой, нет, не работают. Да, нет, да...».

85.

First girl: I went out with John last night and he behaved like a perfect gentleman.

Second girl: Yes, he bores me as well.

to behave – вести себя

to bore – наводить скуку, надоедать

85.

Одна девушка: Я вчера встречалась с Джоном, и он вёл себя как настоящий джентльмен.

Другая девушка: Да, он тоже на меня наводит тоску.

86.

“My dog has got no nose.”

“No nose? How does he smell?”

“Terrible!”

86.

«У моей собаки нет носа.»

«Нет носа? А как же запахи?»

«Запах от нее ужасный!»

87.

A social worker visited an old lady every week. The old lady was quite poor so the social worker was quite surprised when the old lady gave her a present. When she got home she opened her present to find a box of shelled Brazil nuts. She enjoyed eating the nuts that evening.

"Thank you very much for the nuts," she said to the old lady on her next visit. "But can you really afford them?"

"Oh, my sister gave me some chocolate-coated Brazil nuts, but because of my false teeth, all I can do is suck the chocolate off."

shelled – в скорлупе

Brazil nut – бразильский орех

to suck – сосать, высасывать

afford – позволять себе что-либо

87.

Социальная работница посещала престарелую женщину каждую неделю. Женщина была очень бедная, поэтому социальная работница очень удивилась, когда получила от своей подопечной подарок. Когда работница принесла подарок домой и развернула его, то обнаружила коробку с бразильскими орехами. Она с удовольствием съела все орехи в тот же вечер.

«Большое Вам спасибо за орехи» - сказала работница пожилой женщине, когда навестила её на следующей неделе. «Но не слишком ли дорого они вам стоили?»

«Ну что вы!» - ответила старушка, «моя сестра принесла мне бразильские орехи в шоколадной глазури, но я не смогла их разгрызть, а только обсосала всю глазурь».

88.

A woman woke up one night to see some thieves moving around in her garage. She called the police but they said there was no one available and they would send someone around later.

The woman was not happy about this and she called the police a few minutes later. “Hello, I called you a few minutes ago about the thieves in my garage. You don’t need to send anyone round as I’ve just shot them.”

Two minutes later six police cars and a police helicopter arrived at the scene and arrested the thieves. “I thought you said you shot the thieves,” a policeman asked the woman.

“I thought you said no one was available,” said the woman.

a thief – вор

to be available – быть доступным

a helicopter – вертолет

88.

Женщина проснулась однажды ночью и увидела, как воры двигаются в ее гараже. Она позвонила в полицию, но они сказали, что они не доступны сейчас, и они пошлют кого-нибудь позже. Женщина не была довольна этим, и она позвонила в полицию спустя несколько минут. "Привет, я позвонила вам несколько минут назад и сказала о ворах в моем гараже. Вам не нужно уже отправлять кого-либо сюда, так как я только что застрелила их".

Две минуты спустя шесть полицейских автомобилей и полицейский вертолет прибыли на место происшествия и задержали воров. "Я думал, ты сказала, что ты выстрелила воров," полицейский спросил женщину.

"Я думал, ты сказала, что никто не был доступен" сказала женщина.

89.

“Doctor, doctor, I keep thinking I’m a dog.”

“Mmm, lie on the couch.”

“I’m not allowed on the couch.”

to lie – лежать

couch – кушетка, диван

89.

«Доктор, доктор, мне кажется, что я собака».

«Хм, хорошо, ложитесь на диван».

«Мне запрещено ложиться на диван».

90.

"Waiter, this soup is cold. Bring me some hot soup!"

"What, and burn my thumbs!"

a thumb – большой палец

90.

«Официант, вы дали мне холодный суп! Принесите мне горячий!»

«Чтоб я обжёг себе пальцы?!»

91.

Doctor: (To patient) I have some good news and some bad news for you, Mr. Jones. Which would you like to hear first?

Mr Jones: The bad news first, doctor.

Doctor: We had to amputate your feet.

Mr Jones: That's terrible! What's the good news?

Doctor: The man in the bed over there has the same size feet as you and he said he would be happy to buy your slippers.

91.

Врач (пациенту): Господин Джонс, у меня для Вас есть плохая и хорошая новости. Какую бы Вы хотели услышать первой?

Пациент: Плохую, доктор.

Врач: Нам пришлось ампутировать Вам обе стопы.

Пациент: О, ужас! Какая же хорошая новость?

Врач: Вон у того мужчины на соседней койке такой же размер стопы, какой был у Вас, и он был бы счастлив, если бы Вы продали ему Ваши тапки.

92.

“Doctor, doctor, everyone says bad things to me.”

“Oh shut up and go away!”

shut up – замолчать, заткнуться

92.

«Доктор, доктор, мне все говорят гадости».

«Заткнись и выйди вон!»

93.

A headmaster came home from the doctor looking very sad. “What’s wrong?” asked his wife.

“The doctor gave me these tablets and he said I have to take one every day for the rest of my life,” said the headmaster.

“There’s nothing wrong with that,” said his wife. “A lot of people have to take tablets every day.”

“Yes,” said the headmaster, “but he only gave me ten tablets.”

a tablet – таблетка

the rest of – оставшаяся часть чего-либо

93.

Директор школы вернулся домой после посещения врача. Вид у него был очень печальный.

«Что случилось?» - спросила его жена.

«Доктор прописал мне вот эти таблетки и сказал, что я должен принимать их всю оставшуюся жизнь по одной таблетке в день» - ответил директор.

«Но в этом нет ничего страшного: многие принимают таблетки каждый день».

«Да, это так, но врач мне дал только десять таблеток».

94.

A headmaster was in court. He had been seen by a policeman riding his bicycle the wrong way along the motorway.

The judge: You are charged with riding your bicycle on the motorway, but you are lucky to be alive.

Headmaster: Not really. I am a religious man. God was with me!

The judge: You are also charged with riding two on a bicycle.

court - суд

be charged – быть обвинённым в совершении преступления

judge - судья

94.

Директору школы пришлось предстать перед судом. Накануне его задержал полицейский за вождение велосипеда по встречной полосе.

Судья: Вас обвиняют в том, что Вы ехали на велосипеде по встречной полосе. Вам повезло, что Вы остались в живых.

Директор: Это не совсем так. Я верующий человек. Я не погиб, потому что Бог был со мной.

Судья: Тогда Вам предъявляется ещё одно обвинение: за то, что вас двое ехало на одном велосипеде.

95.

“Doctor, doctor, I only have 59 seconds to live!”

“Wait a minute please.”

95.

«Доктор, доктор, мне осталось жить 59 секунд!»

«Подождите минутку, пожалуйста».

96.

The English football team manager has selected a team which he thinks will win the next world cup.

It's Brazil.

to select – выбирать

world cup – чемпионат мира

96.

Менеджер английский футбольной команды назвал ту команду, которая, по его прогнозам, выиграет следующий чемпионат мира.

Это - Бразилия.

97.

Romantic man: (On telephone) I'll love you forever. I would climb the highest mountain for you. I would swim the widest ocean for you...

Girl: Are you coming to my house?

Romantic man: Yes, as soon as it stops raining.

as soon as – как только

highest – самый высокий

widest – самый широкий

97.

Романтичный мужчина (по телефону): Я буду вечно любить тебя! Ради тебя я покорю самую высокую гору! Ради тебя я переплыву самый широкий океан! Ради тебя …

Женщина: Ты приедешь ко мне сейчас?

Мужчина: О, да! Как только прекратится дождь.

98.

“How many headmasters do you need to take a shower?”

“I don’t know.”

“One hundred.”

“Why one hundred?”

“One to take the shower and ninety nine to spit.”

to spit – плевать

98.

"Сколько директоров вам нужно, чтобы принять душ?"

"Я не знаю."

"Сто."

"Почему сто?"

"Один, чтобы принять душ и девяносто девять, чтобы плевать."

99.

A headmaster visited his friend (also a headmaster) who was banging nails into the wall. However, he threw half of the nails away.

“Why are you throwing half of them away?” asked the first headmaster.

“The heads are on the wrong end,” answered the second.

“Don’t be stupid!” said the first. “Those are for the other side of the wall.”

nail - гвоздь

to throw away – выбрасывать, отбрасывать

99.

Один директор школы зашёл навестить своего приятеля, тоже директора, который в этот момент забивал гвозди в стену. При этом, он отбрасывал часть гвоздей, так их и не использовав.

«Почему ты выбрасываешь эти гвозди?» - спросил первый директор.

«Потому что у них шляпки на другом конце» - ответил ему приятель.

«Не глупи!» - возразил первый директор, «Эти гвозди предназначены для другой стороны стены».

100.

A headmaster was working on a building site when tragically he lost an ear in an accident. Unfortunately he couldn't find his ear on the ground. "Is this it?" said his workmate, holding up an ear.

"No," said the headmaster, "mine has got a pencil behind it."

tragically – трагически

building site - строительная площадка, стройка

workmate - коллега

100.

С директором школы, находящимся на стройке, случился несчастный случай – ему оторвало ухо. Он попытался найти своё ухо, но так и не смог.

«Не это ли ваше ухо?» - спросил его коллега, поднимая ухо с земли.

«Нет» - ответил директор, «Это не моё. За моё ухо был заложен карандаш».

###

Если вам понравилась эта книга, пожалуйста, оставьте отзыв там, где вы купили ее, так что другие люди смогут насладиться ее. Вы также поддержите писателей, переводчиков, карикатуристов, и дизайнеров, которые произвели эту книгу. Большое спасибо.

###

If you enjoyed this book, please leave a review where you bought so that other people can enjoy it as well. You will also be supporting the writers, translators, cartoonists and designers that produced this book. Thank you very much.

Made in the USA
Las Vegas, NV
02 December 2022